Ispahan

L'espace voilé du désir

Aquarelles
d'Alain Bailhache

textes de
Hamèd Fouladvind

FARHANGSARA
YASSAVOLI
TEL : + (98 21) 6461003 FAX : + (98 21) 6411913

Ispahan

L'esqace voilé du désir

Aquarelles d' Alain Bailhache

Textes en francais par Hamèd Fouladvind

Traduction anglaise par Karim Emami

Photographies par Francis Hayem

Mise en page de Javad Yassavoli

Droits de traduction, d'adaptation et de reproductions réservés pour tous les pays

1995 Editions d' Art Farhang sara (Yassavoli), Iran

Bazaarcheh - Ketab, Enqlab Ave. 13146 Tehran - Iran

Tel: (9821) 6461003   Fax: 6411913

ISBN: 964 - 306 - 020 - 9

LA PASSION D' UN PEINTRE FRANÇAIS ...

"Une émotion forte et intense m'envahit chaque fois que je retrouve Isphahan après quelques mois d'absence. Que ce soit au bazar, au pied d'une coupole de mosquée ou dans un caravansérail, je goûte avec délice l'atmosphère douce et heureuse qui règne dans ces lieux. J'y découvre toujours des merveilles et des splendeurs."

C'est ce que nous chuchote ce pinceau ensorcelé par les splendides paysages d' Isphahan, le pinceau du peintre français Alain Bailhache. Cet ancien élève de l'Ecole nationale des arts décoratifs de Paris a eu le coup de foudre pour cette ville envoûtante dès son premier voyage en Iran, un voyage de noces d'ailleurs, à la fin des années soixante. Depuis, l'artiste ne peut plus se passer de cette patrie spirituelle devenue pour lui une source intarissable d' inspiration: à peine parti, il revient dans cet espace-temps où son coeur de créateur repart de plus belle, comme si un air subtil propre au "huitième climat" le revitalisait mystérieusement:

"Lorsque je me promène le soir à Isphahan, j'éprouve chaque fois ce perpétuel enchantement de ma jeunesse. Le temps semble s'arrêter et mes rêves d'autrefois resurgissent, succombant au décor digne encore des mille et une nuits. Dans cet havre de paix et de fraîcheur je goûte des moments privilégiés. Là, de joyeux adolescents déambulent, précédant de belles femmes voilées, suivies d'adorables bambins aux grands yeux noirs. Plus loin, un jeune garçon sert le thé sur un petit plateau en cuivre. L'air est pur, limpide et embaumé par les roses des jardins du voisinage. Je sens une tendre exaltation m'envahir et, bientôt, ma méditation créatrice renaît comme une fleur sous l'ondée bénéfique.»

Ainsi, Alain Bailhache est resté l'amant d' Isphahan, fidèle à cette ville lumineuse où, depuis des années il vient puiser la sève de son expression picturale:

"Que je sois dans une mosquée, dans un sanctuaire (Emamzâdeh) ou un bazar, c'est toujours avec la même fougue et le même enthousiasme que je trace inlassablement. La succession de voûtes et la parfaite ordonnance des éléments architecturaux sont admirables de proportions. Fascinant exercice de perspective, qui atteint souvent une véritable performance."

Le présent livre invite, d'ailleurs, le lecteur à regarder la belle performance de l'artiste francais qui nous entraîne, au gré de son dessin ou de ses couleurs dans l'univers oriental et son espace voilé du désir...

THE INFATUATION OF A FRENCH PAINTER

"Whenever I return to Isfahan after an absence of several months, I an filled with strong and intense emotions. In the bazaar, beside the dome of a mosque, in a caravanserai or wherever else I find myself, I savour with enjoyment the sweet and joyful air of the place, and I always discover something wonderful and splendid there."

Thus writes the French painter Alain Bailhache, describing the emotions aroused in him by his visits to Isfahan. For this former student of the National School of Decorative Arts in Paris, it was love at first sight when he discovered Isfahan with his bride, on their honeymoon in the late 1960s. And ever since, he has always maintained his spiritual bonds with this city which has served him as a faithful source of inspiration. And each time that he returns to France from Isfahan, he has hardly settled down when, once again, he feels in his heart the signals that call him back to the place which has become his home away from home.

"When I am taking a stroll in Isfahan in the evening, every time I feel the enchantments of my youth come back to me. Time comes to a standstill and my old dreams reappear, adapting themselves to a setting worthy of the Thousand and One Nights. In this haven of peace and freshness, I experience privileged moments. There, a group of joyful adolescents walk about, ahead of beautiful veiled women who are followed in turn by adorable toddlers with large black eyes. Farther down, a young boy serves tea on a small leather tray. The air is pure, limpid and tinged with the fragrance of roses from the neighbouring gardens. I feel a tender exaltation come over me, and soon my creative mood is reawakened like a flower opening to the caressing fingers of benevolent raindrops."

In this way, Alain Bailhache's love affair with Isfahan continues, and he remains faithful to this luminous city, which has been a source of strength for his pictorial expression for many years.

"When I am in a mosque or in a shrine (Emamzadeh), or in a bazaar I sketch indefatigably with the same passion and the same enthusiasm. The succession of arches, and the perfect order of the architectural elements are simply admirable, a fascinating exercise in perspective which often reaches a very high point of performance."

The present album of paintings invites the reader to view the fine performance of a French artist who draws us, by virtue of his draughtsmanship and his colours, into an oriental world full of spaces of veiled desire...

L'ESPACE VOILÉ DU DÉSIR

"La rue à la largeur des épaules frayées
Descend comme un orvet d'argent entre les coffres
Les tapis les mouchoirs et les manteaux rayés
Dans les cris les regards les désirs et les offres"

Aragon, Le fou d'Elsa

Dans cette cité où la rose et le peuplier sont des emblèmes d'amour, où les arbres versent des cascades de fleurs et les fontaines des murmures de volupté, une princesse, enivrée du parfum des lilas de Perse[1], m'a fait une promesse...

A l'ombre turquoise de l'allée des cyprès mon bonheur m'attend comme un destin. Sous sa mante orientale la belle créature semble chavirer et. à travers la trame menue des mailles de sa voilette, je devine l'éclat de ses prunelles et le lierre de ses mèches rebelles. Elle incline son masque de sphinx et, sans un mot, me montre les moires des coupoles d'émail ou des minarets bleus qui, au loin, convient au vertige. Ne croyant pas aux rencontres fortuites, je me laisse entraîner dans le dédale de la ville où son pas ravissant paraît vouloir me perdre, Des ruelles, des terrasses, des portails, des jets d'eau, des visages défilent comme un rêve dans ma mémoire. En traversant la verdure étincelante du Jardin des Poignards[2], elle abandonne ses doigts tendres aux miens. Un frémir d'aimer s'empare doucement de moi et je laisse ma démarche fébrile se confondre à la sienne pour descendre des marches couleur de chair. Cette voie marbrée se déploie telle une pétale qu'une sève invisible inonde. Ma compagne ralentit. Du paysage animé monte une rumeur diffuse qui couvre les paroles qu'elle m'adresse. Sa bouche prometteuse m'invite à pénétrer la fraîcheur d'un univers perlé par le clair- obscur. Me voici au Bazar, au royaume des foules et des désirs. Haletant, je me glisse avec elle dans l'espace de conjonction des individus et des marchandises. Très vite, une houle humaine nous emporte et je sens son corps tanguer délicieusement contre le mien.

Sur la grande allée, règne un demi-jour qui révèle le pourtour de ténèbres, de frôlements, d'ombres qui chuchotent. Des voix confuses, des bruits imperceptibles, des odeurs d'encens, de nard, de myrrhe, de gomme ou de pavot se faufilent entre mes oreilles et mes narines. Nous traversons les effluves du bazar des Senteurs. Ici, règnent les fards, les artifices, les stupéfiants, on y ment à soi-même, aux autres, à la vie[3]. Un inconnu, embusqué dans un coin, me tire par la manche: c'est un revendeur qui me propose ce qui fait désirables les chairs vivantes, ce qui exalte les sens. Secrètement, la main protectrice de mon ange- gardien étreint mon bras et me délivre du mystérieux tentateur qui, brusquement, disparaît comme noyé par le ressac de cette marée humaine. Rivé à ma belle amie, je prends plaisir à fendre cette mer d'êtres et de fragrances qui, au gré des passages, nous déporte d'un rivage à l'autre pour d'autres découvertes.

Nous voici à un carrefour que rafraîchit une fontaine. Dans le bassin de marbre trempent des gerbes de rose et des couronnes de tulipe. Je plonge ma main, saisis une rose pourpre et l'offre à ma passion. Celle-ci, surprise, jubile et l'attache à sa boutonnière avant de remettre précieusement sa menotte dans la mienne. Le flot de monde nous dépose bientôt au bazar des teinturiers: partout des étoffes ruisselantes de couleurs qui s'égouttent, accrochées jusqu'en haut des voûtes[4]; sur des cordes tendues sont exposés des tissus teints à l'indigo, à la garance ou au safran. Sous les arcades embaumées et humides, au porche d'un atelier délabré, un derviche récite, un chapelet à la main, des versets du Coran pendant que deux jeunes apprentis à la taille cambrée boivent leur thé à même la soucoupe. Au tournant d'une échoppe, une nuée d'enfants s'échappe des bouches d'ombre; un chien chétif les devance et se perd dans l'obscurité. Ma compagne me ramène vers la grand'rue puis, après avoir évité le bazar des cordonniers, me fait découvrir l'univers scintillant des orfèvres et des bijoutiers: les vitrines débordent de coupes, de miroirs, de pierreries, d'objets ciselés, de plats d'argent, de bracelets et de colliers d'or; les magasins regorgent de femmes s'extasiant et palabrant avec les vendeurs. Ici tout brille: les objets, les corps, les regards. Mon guide discute avec un artisan tout habillé de vert qui exhibe ses merveilles. Je me mets à observer du trottoir toutes ces cohortes de gens qui s'agitent, qui déambulent de galerie en galerie, de devanture en devanture. On dirait des créatures inassouvies, en quête de tout et de rien. Dans cette cohue qui s'accroît ou s'effrite au gré des boutiques, il y a surtout des femmes; elles circulent tout enveloppées de noir pareilles à des ifs funèbres en marche[5]. De temps à autre, je perçois la lune de leur visage blanchissant les pénombres ou l'écho de leurs rires ricochant sous les coupoles. J'ai même l'impression que derrière leur voile, certaines de ces dames- fantômes m'épient[6]. J'imagine la couleur de leurs yeux, le velours de leurs lèvres, les lignes de leur corps. J'essaie de deviner ces énigmes de chair, ces elfes défilant sur les allées du désir[7]. Parmi les passants, je remarque un apprenti corroyeur aux yeux de jade et un promeneur solitaire, déjà croisé, heureux de baigner dans cette foule[8]. Plongé dans la contemplation de ces troupeaux de sphinx, je mets un certain temps pour comprendre qu'une main alliée a saisi mon poignet gauche; avec précaution, elle m'enchaîne à un bracelet en or. C'est ma princesse qui me couvre d'un présent acheté au bazar des joailliers. Sous la caresse de ses doigts généreux, tout mon être fond de plaisir.

Sur l'avenue principale, le tourbillon humain nous reprend. Enlacé à mon amie, je me trouve colporté jusqu'au seuil du bazar des oiseleurs. Des ramages, des roucoulements, des caquets extraordinaires déchirent l'air. Je m'apprête à entrer dans cet espace sonore où des gammes musicales[9] livrent bataille, mais mon guide m'arrête. Elle n'aime pas les oiseleurs et leurs cages. J'insiste. Elle s'obstine dans son refus. J'aperçois les plumages multicolores qui, dans les volières, semblent m'appeler. J'essaie encore de convaincre la ravissante rebelle. Elle ne concède pas. Je la prie alors de m'attendre un moment car, je veux lui faire une surprise. Elle m'offre un sourire énigmatique, incline sa tête et me fait la promesse de patienter. Je m'engage, aussitôt, dans l'univers volatile des oiseleurs. J'ai l'impression que tous les oiseaux se mettent subitement à battre de l'aile comme pour saluer ma venue. Des plumes volent, un tintamarre inattendu se déclenche. Escorté par cette sérénade monstre, d'un pas inquisiteur je me perds dans le labyrinthe des volières et des cages où un spectacle étrange m'est proposé: des dizaines de tourterelles, de perroquets verts et jaunes, de serins, de rossignols, de paons, d'hirondelles, de cardinaux, de cygnes de cacatoès, de pigeons, de volatiles exotiques cognent leur bec contre les grillages et les barreaux en poussant des cris plaintifs, comme pour attirer mon attention sur chacun d'eux. Je choisis mon présent, un magnifique oiseau de paradis. Le vendeur exige une somme fabuleuse. Sans marchander je paie le prix et m'empresse de revenir, la cage de ma belle sous le bras. Les yeux fébriles, je me précipite au seuil du bazar. Elle ne s'y trouve pas. Je cherche à gauche, à droite. En vain. Elle s'est comme volatilisée. Mon bonheur n'a pu attendre. Je me mets à courir, me frayant à coups d'épaules une voie dans cette marée humaine qui m'apparaît hostile, menaçante. Je bouscule des badauds, écrase des pieds et me heurte à un énorme maître chaudronnier au torse velu. Par instant, je crois reconnaître sa démarche dans celle d'une de ces dames- fantômes. Mon coeur bat la chamade quelques secondes puis, très vite le mirage s'évanouit. Je tente de la retrouver dans les autres bazars: chez les potiers, les limonadiers, les confiseurs, les tailleurs, les tapissiers. les pâtissiers, les graveurs. Mais, là aussi, d'elle, pas la moindre trace. Ma princesse a disparu. Je poursuis ma quête et, au fil des trajets, je sens progressivement la cage s'alourdir. Je fouille des yeux les ruelles et les échoppes où, auparavant, nous nous étions arrêtés. Je questionne les passants, les artisans, les commerçants, les mendiants. En vain. Personne ne se souvient de cette personne. Même à la bijouterie, l'homme à l'habit vert ne se rappelle pas de cette cliente. Malicieusement, je lui montre mon poignet avec sa chaîne en or. Il examine le cadeau, trouve la pièce exceptionnelle mais prétend qu'elle ne provient pas de son atelier. Un de ses collègues vient confirmer ses propos. Je crois rêver. Ma surprise est à son comble.

Mon bras commence à me faire mal, ce qui m'oblige à poser la cage à tout bout de champ. Et, à chaque fois, le bel oiseau cogne son bec contre les barreaux, comme pour me demander d'ouvrir. A bout de forces, je m'arrête un moment près d'une fontaine. Dans le bassin de marbre il y a quelques pétales de roses fanées. Ce souvenir me pousse à reprendre ma marche errante à travers le Bazar, éclairé maintenant par des lanternes. Le jour est tombé. Tout en traînant ma cage, je repasse devant le marché des oiseleurs. Un silence étrange y règne. Pas le moindre chant, le moindre ramage. Pourtant, la rue grouille toujours de monde et je reconnais le vendeur d'oiseau en train de transporter une énorme cage de fer. Effaré, je continue ma dérive du côté du bazar des soieries et des turbans. J'ai l'impression de tourner en rond.

Je ne sais pas ce qui s'est passé mais, maintenant, le Bazar est désert. La vie semble s'être arrêtée. Sur la grand'rue, un balayeur roux plaisante avec des veilleurs. Je suis épuisé. Quelqu'un m'aide à sortir au grand air. C'est celui qui cadenasse les grilles de fer de la grande entrée. Ma cage sous le bras, je descends quelques marches et m'installe près d'un saule solitaire. C'est une belle nuit d'été mais, moi, j'ai froid. J'entends une voix rauque qui chante. C'est un vieil aveugle dont la complainte me bouleverse:

> *"Le coeur est la prison du secret d'amour*
> *Une fois en liberté, le captif ne retourne plus à sa chaîne "*[10]

J'écoute ce douloureux murmure en caressant mon beau bracelet d'or. Je regarde mon oiseau de paradis. Il est silencieux et ne cogne plus son bec. J'ouvre la cage. Il me fixe, hésite un instant puis, bat de l'aile. Je laisse mon coeur s'envoler...

Dans cette cité où la rose et le peuplier sont des emblèmes d'amour, où les arbres versent des cascades de fleurs, et les fontaines des murmures de volupté, une princesse enivrée du parfum des lilas de Perse, m'avait fait une promesse.

Hamèd Fouladvind

Notes:

(1) Princesse G.V. Bibesco, *Les Huit Paradis*, éd. Hachette, 1911, Paris. Cette poétesse a séjourné en Iran au début du siècle.

(2) *Ibid.* p. 167.

(3) *Ibid.* p. 169.

(4) P. Loti, *Vers Ispahan*, p. 211, éd. Sahab 1978, Téhéran.

(5) Princesse Bibesco, *op. cit.*, p. 151.

(6) P. Loti, *op. cit.*, p. 191.

(7) Princesse Bibesco, *op. cit.*, p. 155. L'auteur cite et traduit librement un conseil de Saadi au jeune marié: "Si ta femme prend trop souvent le chemin du bazar, résigne-toi, bel ami, à porter les pantalons sombres en usage au harem." Ainsi, le bazar était aussi un espace d'infidélité...

(8) E.A. Poe, *Nouvelles histoires extraordinaires*, L'Homme des Foules, pp. 61-70, éd. Garnier 1956, Paris.

(9) Pour le rapprochement bazar et gamme musicale Cf. L. Bakhtiar, *Le soufisme, expressions de la quête mystique*, pp. 106 - 112, éd. du Seuil, 1977, Paris.

(10) Princesse Bibesco citant Saadi, *Ibid.* p. 135.

1. Pigeonniers à tourelles aux alentours d' Ispahan

Pigeon towers in a suburb of Isfahan

کبوترخانه‌های اصفهان در حومه شهر

پل خواجو اصفهان

Le Pont Khadjou
à Ispahan
D.Baitbache 1994.

2. Pont Khadjou
   Khajoo bridge

پل خواجو

پل شهرستان اصفهان

Le Pont de Chahrestan à Ispahan 94

3. Pont Chahrestan
   The Shaherstan bridge
   پل شهرستان

4. Mosquée Djâmé d' Ispahan vue du haut de l'Imamzâdeh (sanctuaire) Haroun Valayat
   The Jame' mosque in Isfahan, seen from the roof of Velayat shrine

مسجد جامع اصفهان از بالای پشت‌بام امامزاده هارون ولایت

بازار اصفهان
Isphahan 94
par D. Bzilbache
آل باش
۱۳۷۳

5. Vue de la ville du haut des toits du bazar

Panorama of Isfahan seen from the roofs of the bazaar

نمای شهر از بالای پشت‌بامهای بازار

6. Vue de la place de l'Imam, Ispahan
Panorama of Imam square, Isfahan
نمای میدان امام

۱۲۷۳
آلن بایاش
F Bailhache 94

امامزاده ابراهیم

7. Imamazâdeh Ibrahim à Kachan
The Ebraham shrine in Kashan

امامزاده ابراهیم، کاشان

8. Mosquée Djâmé d'Ispahan
    The Jame' mosque in Isfahan

    مسجد جامع اصفهان

9. Imamazâdeh Haroun Valayat ▶
    The Haroon Velayat shrine

    امامزاده هارون ولایت

زاده هارون ولایت
آلن بایاش

Mosquée-Haroun.Velé

M.Baihache

آلن بایاش

94

۱۳۷۳

Isphahan

داخل برج کبوتری اصفهان

Intérieur d'un pigeonnier
à Isphahan- 1994
B.Baithactu

10. Intérieur d'un pigeonnier

A Pigeon tower, seen from the inside

داخل برج کبوتر

11. Palais des huit paradis (le parc Bolbol) ▶

Palace of Hasht Behesht (eight paradises), Garden of the Nightingale

کاخ هشت‌بهشت (باغ بلبل)

هشت بهشت

Alain Bailhache
ESPHAHAN Nov.89.

اصفهان آلن بایاش

امام زاده اسماعیل اصفهان
آن باش
93

12. Imamzâdeh Ismaël
The Ismail shrine

امامزاده اسماعیل

13. Maison de thé traditionnelle sous le pont 33 ponts
    Traditional teahouse under the Allahverdi Khan bridge
    چايخانهٔ سنتی زیر سی و سه پل

چای خانه سنتی

قهوه خانه در سی و سه پل

اصفهان

آلن بایاش

H. Bailhache 93
Isphahan Maison de Thé Traditionnelle.

14. Maison de thé traditionnelle à l'Hôtel Abbassi ▶
    Traditional teahouse in the Abbasi Hotel
    چايخانهٔ سنتی هتل عباسی

قهوه خانه سنتی
عباسی
غران
(باش ۱۳۷۳)
۵۹
G.Bai
Isp

15. Mosquée Djâmé d'Ispahan

The Jame' mosque in Isfahan

مسجد جامع اصفهان

16. Bazar d' Ispahan

The bazaar of Isfahan

بازار اصفهان

17. Panorama du Tchahar Bâgh vu de l'intérieur de l' Hôtel Abbassi
A view of the Charbagh dome, seen from the Abbasi Hotel

چشم‌انداز گنبد چهارباغ از داخل صحن هتل عباسی

18. Entrée de l'école Tchahar Bâgh ▶
Entrance of the Charbagh seminary

ورودی مدرسه چهارباغ

اصفهان
۱۳۷۲

Esphahan.
J.Bailhache. 93

19. Palais des huit paradis (le parc Bolbol)

Palace of Hasht Behesht (Garden of the Nightingale)

کاخ هشت بهشت (باغ بلبل)

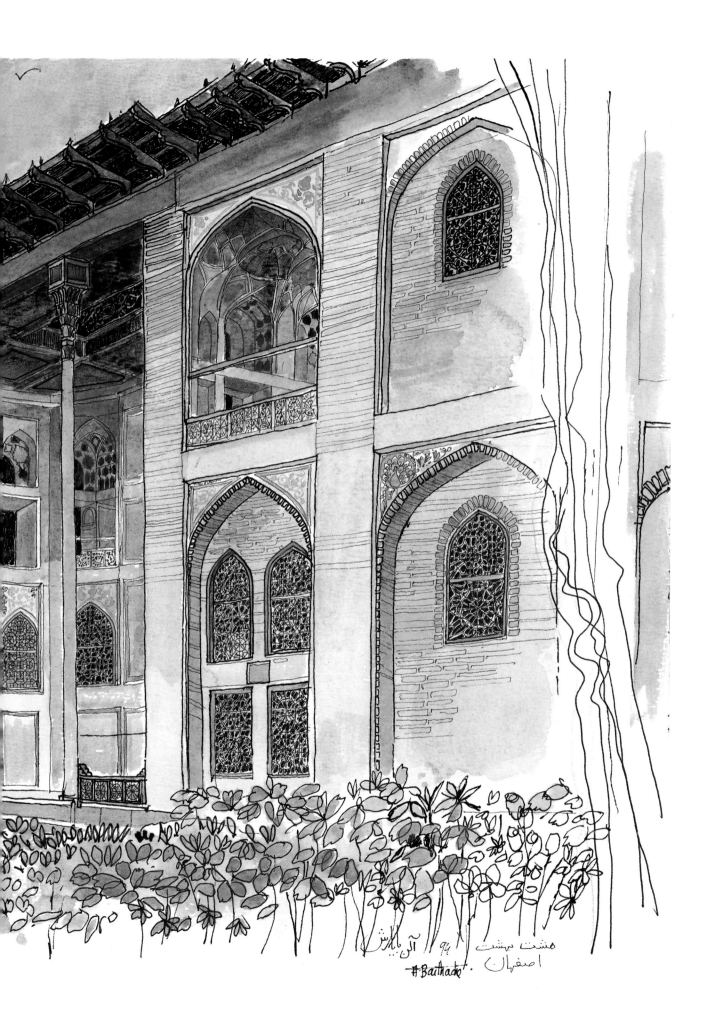

هشت بهشت اصفهان

آن بابایش
#Baithado
٩٤

20. Imamzâdeh de Baba Ghassem
Baba Qasem shrine
امامزاده باباقاسم

21. Eglise de saint Hacop
The church of Saint Hacop
کلیسای حضرت هاکوپ

Eglise Arménienne de Djolfa, à Esphahan

جلفا   اصفهان

22,24. Eglise vank à Djolfa ▶
Vank church (Jolfa)

کلیسای وانک (جلفا)

Ispahan.
Eglise Vank. Djolfa
آن بایات H Bailhache 19
۱۳۷۱
جلفا   کلیسای وانک
اصفهان

25. Bazar de l'art à Ispahan
The bazaar of crafts in Isfahan
بازار هنر اصفهان

Mosquée Ha
a Isphaha
94- J.Bartha

27,28. Passage Malek au bazar d'Ispahan
The Malek arcade in the bazaar of Isfahan
تیمچه ملک در بازار اصفهان

Isphahan.
A. Bailhache 94

◄ 29. Imamzâdeh Bagher
   The Baqer shrine
   امامزاده باقر

30. Bazar de l'art d'Ispahan
   The bazaar of crafts in Isfahan
   بازار هنر اصفهان

31. Passage Malek au bazar d'Ispahan

The Malek arcade in the bazzar of Isfahan

بازار اصفهان، تیمچه ملک

32. Bazar d'Ispahan ▶

The bazaar of Isfahan

بازار اصفهان

٣٠ 30

عدالت

Isphahan,
Bazar : Hono

اصفهان
بازار هنر

J.Bailly

33. Imamzâdeh Haroun Valayat
The Haroon Velayat shrine
امامزاده هارون ولایت

امام زاده هارون ولایت
اصفهان
آتن باس ۱۳۷۳
H. Bailhache 1994

اصفهان
بازار

34. Bazar d'Ispahan

The bazaar of Isfahan

بازار اصفهان

قال النبی علیه السلام

مسجد دو مانر دردشت

Bacthache

H.Bacthache
آلن بیاش

ISFAHAN - 1994

36. Mosquée à deux minarets de Dardacht

The Do-Menar mosque

مسجد دو منار در دشت

37. Passage des vendeurs de tissus

Passage of cloth merchants

تیمچه قماش‌فروش‌ها

39. Bazar des tissus imprimés de gheysarié ▶
The bazaar of chintz makers, Qeisarieh
بازار چیت‌سازها قیصریه

بازار چیت سازها قیصریه
اصفهان
با پاش
Isphahan
Bazar

H. Baithac
۱۳۷۳ این بایاس

چیت ساز

بازار مسگری
اصفهان
آق پاشا

ar des Cuivres
phahan
uthade 94

◀ 40. Rangée des chaudronniers et des étameurs
   Row of coppersmiths and whitesmiths
   راسته مسگرها و سفیدگری

41. Bazar des chaudronniers
The bazaar of coppersmiths
بازار مسگرها

F-Baithache

آلن پایاش
۱۳۷۳ ۹۴
D.Baithade

◀ 42. Bazar des tapissiers

The bazaar of carpet merchants

بازار قالی‌فروشها

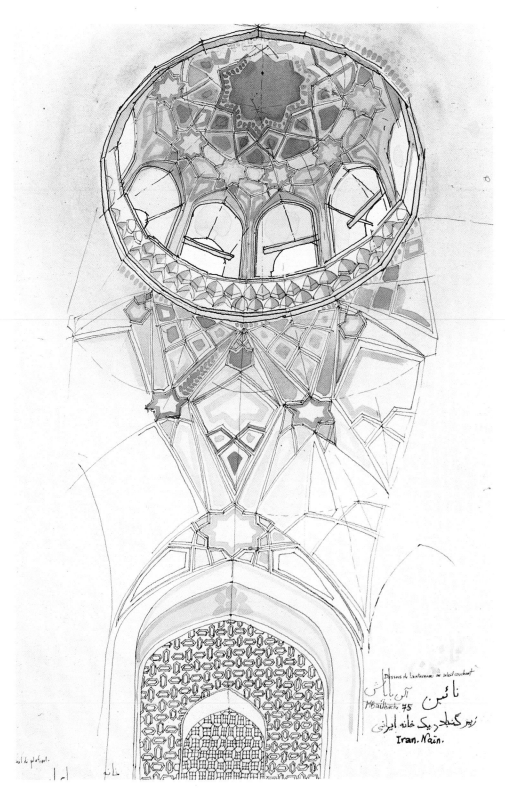

43. Intérieur d' une maison à Naîn

The interior of a private house in Na'in

نائین، اندرونی یک خانهٔ شخصی

خرانق

44. Village de Faranegh
   The Kharanegh village
دهکده فرانق (خرانق)

45. Village de Mourtché Khourt près d'Ispahan

Moorcheh Khort village, near Isfahan

دهکده مورچه‌خورت نزدیک اصفهان

46. Imamzâdeh de prince Ibrahim

The prince Ebraham shrine

امامزاده شاهزاده ابراهیم

47. Caravansérail de Mirpanj à Kachan
The Mirpanj caravanserai in Kashan

کاروانسرای میرپنج کاشان

48. Mosquée djâmé à Natanz
    The Jame' mosque in Natanz
    مسجد جامع نطنز

استاد شمس الدین محمّد ابن علی نطنزی

آن بانش ۱۳۷۳

B. Bouttach

NATANZ
Mosquée Djameh   مسجد جامع نطنز

49. Imamzâdeh à Natanz

A shrine in Natanz

امامزاده‌ای در نطنز

50. Mosquée djâmé à Ardestan

The Jame' mosque in Ardestan

مسجد جامع اردستان

51. Caravansérail en plein désert près d'Ispahan

A caravanserai in the heart of the desert, near Isfahan

کاروانسرایی در دل کویر نزدیک اصفهان

Il a été tiré de cet ouvrage
100 exemplaires
avec étui, numérotés et signés
par
Alain Bailhache

N °

آلن در پی کشف این راز مهم وجودش را متلاشی می‌کند و امید دارد که شاید روزی لااقل برای خودش تعبیری یا نشانه‌ای از آن در ذهنش پیدا کند. او مشتاق رسیدن به‌سرچشمهٔ روحانیت است، روحانیتی که در این‌گونه آثار ساری و جاری است و عظمت دینی و معنویش هاله‌وار جهان اندیشه و هنر را در برگرفته است.

وقتی همراه او در حاشیهٔ کویر به‌سیر و سیاحت می‌روید از نزدیک همه‌چیز را درهم آمیخته مشاهده مـی‌کنید. خورشید، طبیعت، ساختمان، درخت و آبادی و خرابی و ... و شما که آداب و سنن ویژهٔ خود را دارید و دیگران که در مذهب و اندیشه با شما متفاوتند هنگامی که در زیر سایه‌روشن‌های سی چنار نطنز در مقابل سردر خانقاه عبدالصمد در نطنز می‌ایستید از هر ملت و مذهبی که باشید احساس اینکه از کجا آباد هستید در وجودتان موج نمی‌زند. گنبد و منار زیبای منحصر به‌فرد آن به‌شما از فاصله‌ها چشمک می‌زند. گنبد هرمی فیروزه‌رنگش شما را متوجهٔ سادگی و بی‌آلایشی اما مملو از زیبایی همیشه گویا می‌کند که نه متکلف است آن‌چنانکه ساحت آن‌را آلوده باشد و نه شلوغ و نه متظاهر و تصنعی که قصد داشته باشد آدمی را در مقابل ساخته‌های دیگران به‌زانو درآورد بلکه پاگشا و رهاننده و اوج‌ر و اوج‌رو است. گنبدهای حاشیهٔ کویر و هر جای دیگر راکه ملاحظه کنید. سطح آنها هر شکل و صورتی که داشته باشد در بالا بالاخره آنقدر دور می‌روند تا به‌نقطه‌ای منتهی می‌گردند همان نقطه‌ای که در فضای نامتناهی نقش سکوی پرش اندیشه‌هـای بشری را به‌سوی بالا و بالاتر به‌عهده دارد.

آلن به‌نظر من نقاش همین نقطه‌ها و دشت‌ها و کویرهاست. در برخورد با هماهنگی رنگ و معماری و خط و دیگر زیبایی‌ها تسلیم و خودباخته است و از زبان بی‌زبانی بناهای مانده در شکم آفتاب پیام‌های گویا و سربسته دارد که: «من شرقم شرقی»[1]

۱. با اندکی تصرف در برشور نمایشگاهی آثار آلن بایاش نوشته مرتضی صراف.

آفتاب رنگ

شاید این عنوان قادر باشد کمی از آنچه که قصد نوشتنش را دارم بیان کند، می‌خواهم دربارهٔ آثار هنرمندی قلم بزنم که خود صاحب قلم است و نیز موجد مکتبی ویژه در هنر نقاشی فرانسوی است، اما مشکل بتوان او را غیرشرقی دانست. هر چند مفهوم شرق و غرب کاربرد انسانی و معنوی خود را در این زمانه از دست داده و دیگر به‌روشنی یادآور گذشتهٔ آن نیست و نیز پویایی تمدن ماشینی به‌سرعت در مرزهای شناخته شده آن اثر گذاشته و دو حوزهٔ معنوی و فکری و هنری شرق و غرب را درهم ریخته است.

آلن بایاش سعی دارد در حد امکان خود را با روحیه و شخصیت افراد و نیز تغییرات صوری محیط نزدیک و آشنا سازد و در ضمن شکوه و ابهت دیرین و همیشگی آن را که آمیخته‌ای از نیروهای مرموز و اسرارآمیز ازلی بشری است نشان دهد. آنچه در کنار هم قرار داده است تأثیرات مستقیم و انجذاب هنری است که بازتابش در فضای بی‌رنگی به‌شکل عریان و دور از رنگهای تعلق‌پذیر به‌دنیای خارج تراویده است. آلن دستخوش تحولی است که خود به‌واقع نمی‌تواند آن‌را در بیان آورد. در کارهای گذشته‌اش از رنگهای تند فراوان کمک گرفته است اما قادر نیست که عوامل محرک و جدیدی را که در وجودش رخته کرده است بشناسد و معرفی کند. نمی‌داند چه عالمی او را از تار و پودهای گذشته‌اش یکسره وارهانیده و در دریای بی‌رنگی آفتاب‌رنگ غوطه‌ور ساخته است، یعنی در زلال ابدی و صحنهٔ سرمدی که تشنگی می‌زاید و عطش می‌نشاند. دیگر از رنگهای تند و سنگین و سرد غرب فاصله گرفته و به‌دامان رنگهای زندگی‌بخش شرق چنگ زده است. رنگهای روشن به‌روشنی درون مردان حق و خورشید رنگهای حساب‌شده زلال و بدون مضرت، رنگهایی که عریانگر محیط و بدیهی‌نمای جهان مادی است. رنگها روح‌بخش و چشم‌نواز و در ضمن الهام‌آفرین. بگذار این‌را با شما بگویم که در کمتر سرزمینی چنین رخ داده که روح و ماده در جوار همدیگر به‌این زیبایی و جذابی متجلی شده و به‌استواری در زمان پاییده باشد. بسیار کسان در طلب و جستجوی این راز مهم و جاودانگی قیام کرده‌اند. آلن هم یکی از آنها است.

برای بینندگان این مجموعه اضافه می‌کنم که همّ او بیشتر انعکاس معماری و هنرهای وابسته به‌آن است، هنرهای زیبایی که داغ حرام‌بودن را از پیشانی خود برداشته و بر سردر مساجد و خانقاه‌ها و سر سوره‌های قرآن و دیگر کتیبه‌ها جای گرفته است.

دل‌باختگی یک نقش‌پرداز فرانسوی

«هر بار که من، پس از چند ماه غیبت، اصفهان را دوباره باز می‌یابم، هیجانی تند و نیرومند احاطه‌ام می‌کند. خواه در بازار، خواه در پایِ گنبدِ مسجدی یا در کاروانسرائی هر جا که باشد با لذّت هرچه تمام‌تر، نفس روحبخش حاکم بر این اماکن را در سینه‌ام جای می‌دهم و هر بار جلوه‌های تازه‌ای را در آنها می‌یابم.»

این نجوایی است که کلکِ افسونگر «آلَنْ بایّاشْ»، نقّاشِ فرانسوی از دیدار شکوه مناظرِ اصفهان سر می‌دهد. این شاگرد سابق مدرسه ملی هنرهای ترئینی پاریس در سفر ماه عسل خود در اواخر سال‌های ۱۹۶۰ دلباختۀ این شهر افسونگر شد و از آن هنگام دیگر یاری آنرا نیافت که‌از معنویت دیاری که برای وی همواره سرچشمۀ جوشان الهام بوده است، چشم بپوشد زیرا هر بار جایگاه مألوفی که «هفتمین اقلیم» او محسوب می‌گردد، دل آفرینندۀ او را به‌خود می‌خواند و از آن نرفته باز می‌گردد:

«هنگامی که طَرَفِ عصر در اصفهان گردش می‌کنم، هر بار شور و هیجان جوانیم را دوباره در خود احساس می‌کنم. گوئی زمان می‌ایستد و رؤیاهای دیرینۀ من در صحنه‌ای «هزار و یک شب» گونه جلوه‌گر می‌گردد. درین منزلگاه آسایش و طراوت لحظات دلپذیری را حس می‌کنم. در جایی که نوجوانان از کنار زنان زیبای باحجاب که خواهرانی پرستیدنی، با چشمانِ سیاه، از پی آنها روانند در آمد و شد می‌باشند. کمی دورتر پسری جوان در یک سینۀ مسی چای می‌نوشد. هوا پاک و شفاف است و گلهای سرخ باغهای اطراف آنرا عطرآگین می‌کنند. هیجانی ملایم سراسر وجود مرا مسخّر می‌کند و بزودی اندیشۀ خلّاقۀ من به‌گونۀ گلی در زیر رگباری روحبخش حیات از سر می‌گیرد.»

بدین‌گونه «آلن بایّاش» عاشق اصفهان باقی می‌ماند، شهری روشنی‌بخش که وی طی سالیان دراز، چکیده هنر نقش‌پردازی خود را از آن الهام گرفته است.

«اعم از آنکه در یک مسجد باشم، یا در یک امامزاده یا بازار، همواره با شور و شوق دست به‌نقش‌پردازی می‌زنم بی‌آنکه احساس خستگی کنم. توالی سقف‌ها و نظام کامل عناصر معماری انسجام تحسین‌انگیزی را حکایت می‌کند. تمرین دلپذیر مناظر و مرایا تا سرحد هنرنمائی راستین می‌رسد.»

کتاب حاضر بیننده را به‌تماشای هنرنمائی دلپذیر این نقاش فرانسوی می‌نشاند و از خلال طرح‌ها و نقش‌ها بیننده را با خود به‌درون جهان شرق و فضای پنهان دل سیر می‌دهد...

می‌گویند "اصفهان نصف جهان
برای من یک جهان است

آلن باباش ۱۳۷۴

اصفهان

مجموعه آثار آبرنگ آلن بایاش

متن فرانسه: حامد فولادوند

ترجمه انگلیسی: کریم امامی

حروفچینی: ویرا ☎ ٦٤٠٣٧٠٠

لیتوگرافی: مجتمع الکترونیک و گرافیک (مگاپس)

چاپ اوّل: ١٣٧٤ سازمان چاپ و انتشارات

تیراژ: ٣٠٠٠ نسخه

ناشر: فرهنگسرا، تهران ـ جنب میدان انقلاب، بازارچه کتاب تلفن: ٦٤٦١٠٠٣ فاکس: ٦٤١١٩١٣

تهران ـ خیابان کریمخان، روبروی داروخانه سیزدهم آبان تلفن: ٨٣٠٤١٥ فاکس: ٨٨٣٢٠٣٨

شابک ٩ ـ ٠٢٠ ـ ٣٠٦ ـ ٩٦٤

٣٠٠٠ تومان

اصفهان

نهان دل من

آثار ابرنگ نقاش فرانسوی

آلن بایش